Ned a Moi Cnoi

Argraffiad cyntaf: 2015
Ail argraffiad 2018

© Hawlfraint Haf Llewelyn a'r Lolfa Cyf. 2015

Dymuna'r cyhoeddwyr gydnabod cymorth ariannol Adran
Addysg a Sgiliau (ADaS) Llywodraeth Cymru.

Ariennir yn Rhannol gan
Lywodraeth Cymru
Part Funded by
Welsh Government

Dylunio: Richard Ceri Jones

Rhif Llyfr Rhyngwladol: 978-1-78461-219-1

Cyhoeddwyd ac argraffwyd yng Nghymru
ar bapur o goedwigoedd cynaladwy gan
Y Lolfa Cyf., Talybont, Ceredigion SY24 5HE
gwefan www.ylolfa.com
e-bost ylolfa@ylolfa.com
ffôn 01970 832 304
ffacs 832 782

Cyfres Ned y Morwr

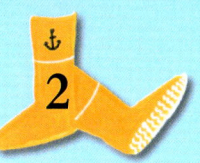

Ned a Moi Cnoi

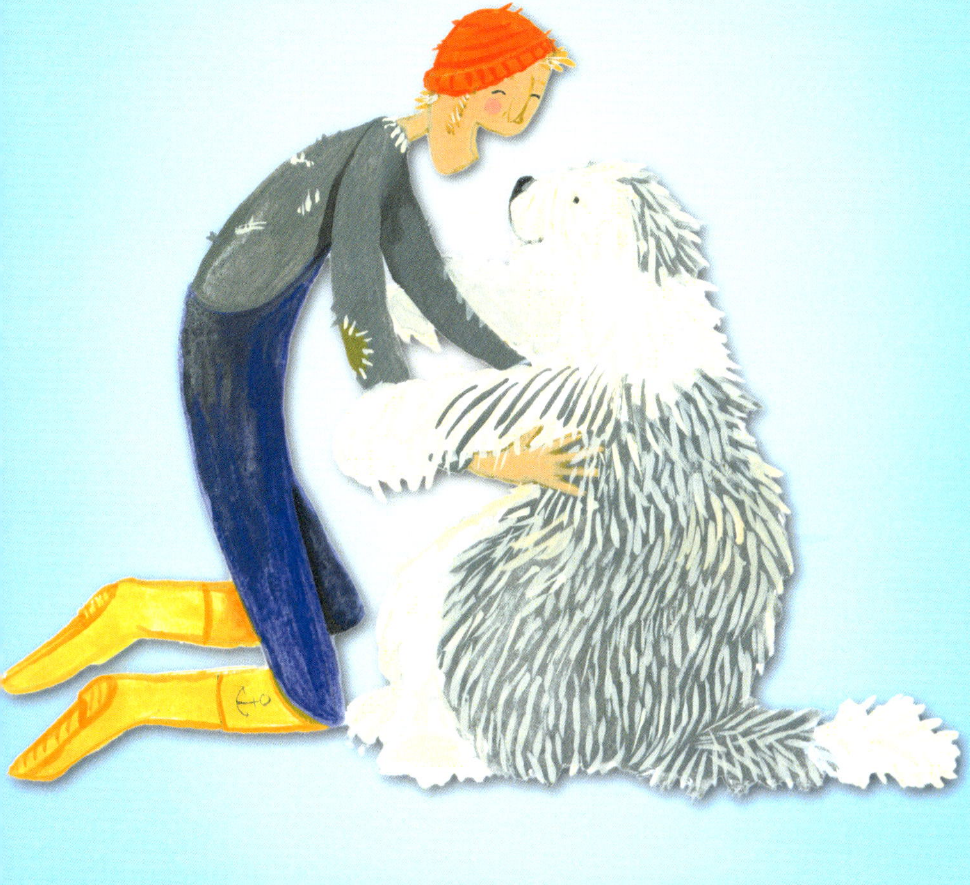

Haf Llewelyn

y Lolfa

Lluniau Valériane Leblond

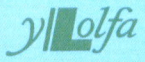

Dyma Ned.

Morwr ydy Ned.

Dyma Moi Cnoi.

Ci ydy Moi Cnoi.

Ci Ned ydy Moi Cnoi.

Mae Moi Cnoi yn y cwch.

Mae Moi Cnoi a Ned
yn y cwch.

Ci da ydy Moi…

… ond mae Moi yn cnoi.

Mae Moi yn cnoi welis Ned.

Mae Moi yn cnoi het Ned.

Mae Moi yn cnoi rhaff Ned.

Mae Moi yn cnoi twll
yn y cwch.

Mae cwch Ned a Moi
ar y môr.

O na! Mae twll yn y cwch.
O na! Mae dŵr yn y cwch.

Sblish, sblash.
Sblish, sblash.
Mae'r cwch **ar** y môr mawr.

Mae Ned a Moi **yn** y
môr mawr.

Twt lol, Moi Cnoi!

Geiriau ychwanegol Llyfr 2

Moi Cnoi	da
ci	cnoi
welis	het
rhaff	wedi
twll	ond
Twt lol	dŵr

Cyfres Ned y Morwr *1*

Ned y Morwr

Haf Llewelyn

y lolfa Lluniau Valériane Leblond

Cyfres Ned y Morwr *2*

Ned a Moi Cnoi

Haf Llewelyn

y lolfa Lluniau Valériane Leblond

Cyfres Ned y Morwr *4*

Moi a'r Siarc

Haf Llewelyn

y lolfa Lluniau Valériane Leblond

Cyfres Ned y Morwr *5*

Paid, Taid!

Haf Llewelyn

y lolfa Lluniau Valériane Leblond

Cyfres Ned y Morwr *3*

Ned a Moi yn Pysgota

Haf Llewelyn

y lolfa Lluniau Valériane Leblond